FIESTA SORPRESA EN CHINCHÓN

Jaime Corpas
Ana Maroto

SGEL

Primera edición, 2015
Segunda edición, 2016
Tercera edición, 2017
Cuarta edición, 2017
Quinta edición, 2018

Produce: SGEL – Educación
Avda. Valdelaparra, 29
28108 Alcobendas (Madrid)

© Jaime Corpas, Ana Maroto
© Sociedad General Español de Librería, S. A., 2015
Avda. Valdelaparra, 29, 28108 Alcobendas (Madrid)

EDICIÓN: Mise García
CORRECCIÓN: Ana Sánchez
DISEÑO DE CUBIERTA E INTERIOR: Alexandre Lourdel
ILUSTRACIONES DE CUBIERTA Y DE INTERIOR: Pablo Torrecilla
MAQUETACIÓN: Alexandre Lourdel

ISBN: 978-84-9778-817-5

DEPÓSITO LEGAL: M-34642-2014
Printed en Spain – Impreso en España

IMPRESIÓN: V.A. Impresores, S.A.

ÍNDICE

1. LA FAMILIA FERNÁNDEZ 5
2. LA INVITACIÓN DE LA ABUELA 11
3. CIUDAD UNIVERSITARIA 15
4. PLANES DE FIN DE SEMANA 18
5. LOS REGALOS DE LA ABUELA 22
6. EL SECRETO DE LA ABUELA 25
7. LA ABUELA LLAMA PARA AGRADECER
   LOS REGALOS 28
8. MALAS NOTICIAS 32
9. EL FUNERAL DE LA ABUELA 35
10. LA ABUELA LES DA UNA LECCIÓN 39
11. LA FIESTA Y LOS REGALOS 41
12. UNA BUENA IDEA 44
13. UN FIN DE SEMANA GENIAL 47
14. FIN DE FIESTA 51

ACTIVIDADES 53
SOLUCIONES 69

1

LA FAMILIA FERNÁNDEZ

LUNES - 8.00 HORAS

El barrio de Palacio está en el centro histórico de Madrid. Los fines de semana, los turistas pasean por sus calles. Visitan el Palacio Real, los jardines de Sabatini o la catedral de la Almudena. A esta hora, la gente toma café en las terrazas los días de sol y entra en las cafeterías cuando hace frío.

Pero hoy es lunes y no hay turistas. Nadie pasea. Los habitantes del barrio caminan con prisa[1] hacia la estación de metro o a la parada del autobús para ir al trabajo. Los estudiantes corren con las mochilas[2] a la espalda. El tráfico es intenso.

Los Fernández viven en una calle pequeña y estrecha cerca del Teatro Real: en la calle de la Bola, donde, ahora, un taxista toca el claxon sin parar[3].

. . . .

[1] *Con prisa:* rápidamente, con urgencia.
[2] *Mochila:* bolsa que llevan los estudiantes en la espalda con los libros y otras cosas.
[3] *Sin parar:* continuamente.

Paco Fernández cierra el balcón para no oír el ruido.

—¡Todos los lunes la misma historia!

Su mujer, Carmen, bebe un zumo de naranja y come una tostada con tomate y aceite. Mira el reloj de la cocina y se levanta rápidamente.

—¡Hoy llego tarde a la reunión!

Carmen trabaja en un despacho[4] de abogados. Tiene clientes muy diferentes: médicos, arquitectos, artistas, empresas…

En el pasillo, Carmen ve a su hijo Lucas, que llama a la puerta del cuarto de baño.

—¡Necesito entrar! —grita[5] Lucas.

—¿Por qué gritas así? —dice Carmen.

—¡Porque Marina no sale de la ducha! ¡Hace una hora que está en el baño!

Lucas viste unos vaqueros anchos y una camiseta azul. Tiene el pelo castaño, liso y los ojos verdes. Es un chico de veinte años, alto y muy guapo. Estudia Biología en la Universidad Complutense, está en el tercer año y todas sus compañeras están enamoradas[6] de él.

Carmen llama a la puerta.

—¡Marina! ¡Por favor! ¡Tu hermano tiene prisa!

Marina abre la puerta y sale con una gran sonrisa.

—¡Por fin! —dice Lucas. Entra en el cuarto de baño y cierra la puerta.

Marina tiene diecisiete años y es una chica atractiva, de pelo castaño, largo y rizado. Lleva unos vaqueros y una camiseta

....

4 *Despacho:* oficina.
5 *Gritar:* hablar alto, muy alto.
6 *Estar enamorado/a:* sentir amor por una persona.

moderna. Todo el mundo piensa que es una joven muy simpática. Todos, menos su hermano Lucas. Marina y Lucas no se llevan bien[7].

—Buenos días, mamá. ¿A dónde vas con ese vestido tan bonito? —dice Marina.

—¿Te gusta? Tengo una reunión ahora con unos clientes. Son productores de cine.

—¡¿Productores de cine?! —grita contenta.

Marina está en el grupo de teatro del instituto. Por un lado, quiere ser actriz pero, por otro lado, también le gusta mucho el arte y no sabe qué estudiar el próximo año en la universidad.

—Mamá, este sábado es el estreno[8] de la película de Javier Bardem. ¿Puedes pedirles invitaciones a los productores?

—Pero si a ti no te gusta Javier Bardem. A ti te gusta ese actor más joven…

—¡Es que también trabaja en la película!

—Pero es que no sé si esa película es de su productora, hija.

—Puedes preguntarles…

—Además, son mis clientes, no mis compañeros.

—¡Jo[9]!

Marina va hasta su habitación para coger su mochila y su chaqueta. Las paredes están llenas de pósteres del joven actor. Marina cree que es el chico más guapo del mundo y también el mejor actor. Siempre va al cine a ver sus películas. A veces, imagina que se conocen, hablan y rápidamente se hacen amigos.

. . . .

7 *Llevarse bien:* tener una buena relación.

8 *Estreno:* la primera vez que el público puede ver una película en un cine. Normalmente van los actores principales con el director y hay muchos fotógrafos y periodistas.

9 *Jo:* expresión familiar que se usa normalmente para protestar.

Y él se enamora de ella. Porque ella es diferente a las otras chicas que él conoce. Es muy simpática. Y él se ríe mucho con ella. Marina sale de la habitación un poco triste: «¿Cómo va a enamorarse de ella si no la conoce?».

Lucas va a la cocina para prepararse un bocadillo de jamón antes de salir de casa.

—Buenos días, papá. Son las ocho y media, ¿qué haces aquí?

—Hoy no voy a la oficina —dice contento.

Paco es dibujante. Trabaja como diseñador gráfico para una revista. Normalmente va a la oficina por la mañana y trabaja allí hasta la tarde. Pero, algunos días, trabaja en casa con su ordenador.

Carmen entra un momento en la cocina con su maletín[10] y una chaqueta negra muy elegante.

—Me voy al trabajo. Hasta luego.

—Hasta luego, mamá.

—Hasta luego, cariño[11] —dice Paco.

Carmen le da un beso a Paco y se va. Lucas mira a su padre, que bebe un café con leche y lee el periódico.

—¿Hay buenas noticias? —pregunta Lucas.

—Sí, una: este domingo hay partido[12] entre el Real Madrid y el Barcelona. ¡Y tengo entradas!

Lucas sonríe. A él y a su padre les gusta mucho el fútbol y ven juntos los partidos en la tele.

—¿Vienes conmigo?

. . . .

10 *Maletín:* pequeña maleta para ir a trabajar.

11 *Cariño:* se utiliza con personas conocidas (buenos amigos, familia) para expresar afecto y familiaridad.

12 *Partido:* un partido de fútbol dura noventa minutos y tiene dos partes.

—¡Claro, papá! —dice Lucas contento.

Marina los mira desde la puerta de la cocina, preparada para irse.

—¡Fútbol! Veintidós hombres detrás de un balón: un rollo[13] —dice Marina.

—Las películas de tu actor favorito sí que son un rollo: mil chicas detrás de un chico.

—Sí, mil chicas detrás de un chico. Y ese chico ¡no eres tú! ¡Hasta luego!

Paco se ríe. Siempre se ríe mucho con su hija Marina.

—¡Muy divertido[14]! —dice Lucas, muy serio.

Marina sale. Lucas coge el bocadillo y sus cosas.

—Me voy a la Facultad. ¡Hasta luego, papá!

—Hasta luego, hijo.

Paco sonríe feliz. Se sirve otro café y se prepara una tostada con mantequilla. Hoy tiene tiempo para desayunar sin prisa y leer el periódico. ¡Es un lunes perfecto!

. . . .

13 *Rollo:* expresión para decir que algo no nos gusta o es aburrido.
14 *Divertido/a:* gracioso, simpático, con humor.

2
LA INVITACIÓN DE LA ABUELA

Marina vuelve a casa. No hay nadie, porque Lucas, después de las clases, va a estudiar a la biblioteca de la universidad y está allí toda la tarde; Carmen va al gimnasio cuando sale del despacho, y Paco va a la piscina del barrio a nadar después de trabajar.

Marina va a su habitación. Mira los pósteres de su actor favorito. Sonríe un poco triste y, en sus pensamientos, habla con él: «Este sábado vas a estar en el estreno de tu película, en un cine que hay cerca de aquí, de mi casa. Pero yo no tengo invitación. ¿Es que nunca voy a conocerte?».

Deja los libros y la mochila encima de la mesa y se sienta en la cama muy triste. Y piensa: «Soy una tonta[15]: hay miles de chicas como yo, enamoradas del mismo chico. ¿Y por qué? Porque es un gran actor y es muy guapo. Y a todas nos gustan las

---

[15] *Tonto/a:* estúpido, lo contrario de inteligente.

historias de amor que él vive en el cine. Pero la vida no es como el cine. No quiero pensar más en él».

Pero Marina piensa en el actor y no oye la puerta cuando Lucas entra en casa. Mira el póster que hay enfrente de ella y habla con su actor favorito:

—No te conozco. No sé cómo eres. ¿Te gustan los perros o los gatos? ¿Eres simpático o antipático? ¿Te gusta reír o eres serio? ¿Crees en el amor para siempre?

—¿Con quién estás? —dice Lucas, cuando entra en la habitación de Marina y ve que no hay nadie—. ¡Tú no estás bien de la cabeza!

—Y tú eres tonto.

—¿Crees en el amor para siempre? —dice Lucas, con la voz de Marina.

Marina sale de su habitación, está roja. Pero Lucas va detrás de ella y se ríe.

—¿Por qué vienes detrás de mí? —dice Marina, enfadada[16].

En ese momento, Carmen entra en casa.

—¡Marina! ¡Marina! ¿Estás en casa? Tengo una cosa para ti.

—Mamá, ¿sabes que Marina habla con el póster de su habitación? —dice Lucas.

—¡Lucas…! —dice Carmen cansada.

Marina coge la tarjeta que le da su madre y la lee. Sonríe feliz.

—¡Mamá! ¡Es una invitación para el estreno de la película de mi actor favorito! ¡Gracias! ¡Gracias! ¡Gracias!

Marina le da un beso muy grande a su madre.

. . . .

16 *Enfadado/a:* te sientes así cuando algo te molesta mucho o no te gusta.

—Y, ahora, —dice Carmen— vamos a preparar algo para cenar.

Carmen prepara un pescado al horno. Marina hace una ensalada, y Lucas pone la mesa. Paco llega de la calle con su bolsa de deporte. Entra en la cocina.

—Hola, familia. Tengo una carta de la abuela: este fin de semana celebra su cumpleaños. ¡Nos vamos a Chinchón[17]!

—¡¿Qué?! —dicen Lucas y Marina.

Paco les da la carta:

Fiesta de cumpleaños en Chinchón

Tengo el honor de invitaros a la fiesta de mi 90 cumpleaños el próximo sábado, día 10 de junio.

La fiesta empieza el sábado y acaba el domingo. ¡Todo el fin de semana!

Baile y música en directo con la banda del pueblo.

Menú especial de fiesta.

¡Os espero!

[17] *Chinchón:* pequeño municipio cerca de Madrid. Tiene muchos edificios y lugares de interés histórico como la plaza Mayor del siglo XV.

—Pero, papá —dice Lucas—. El domingo es el partido de fútbol.

—Lo sé, hijo. Pero la abuela es muy mayor[18] y la vemos poco.

—Durante el año hay muchos partidos de fútbol —dice Carmen—. Podéis ir otro día.

—Vale[19], tenéis razón —sonríe Lucas—. Yo quiero mucho a la abuela.

—Pero ¡yo no puedo! ¡Mamá! ¡Tengo que ir al estreno el sábado! —dice Marina.

—Hija, un estreno de cine no es tan importante —dice Paco.

—¡Para mí, sí! ¡Papá, por favor! ¡Por favor!

—Además de tonta eres una egoísta[20] —dice Lucas—. Piensa un poco en la abuela.

—¡Por favor! El sábado voy al estreno y el domingo cojo un autobús y voy a Chinchón.

—Ahora, vamos a cenar —dice Paco, enfadado— y, esta noche, lo piensas con tranquilidad.

18 *Mayor:* tiene muchos años.
19 *Vale:* OK.
20 *Egoísta:* una persona que solo piensa en ella, que no piensa en los otros.

3

CIUDAD UNIVERSITARIA

MARTES — 9.30 HORAS

Lucas camina hasta el metro y entra en la estación de Ópera. Hay mucha gente y tiene que ir todo el tiempo de pie. Pero Lucas lee durante el viaje y estudia para la primera clase de la mañana.

Cuando sale del metro, en Ciudad Universitaria, ve a su amigo Luis, que camina delante de él entre los estudiantes.

—¡Luis! ¡Luis!

Luis lo ve y sonríe. Espera un poco hasta que llega Lucas. Entonces, Lucas ve que Luis va con su hermana Blanca.

—¡Hola, Lucas! ¿Qué tal? —dice Blanca.

Lucas no puede hablar. Está muy nervioso[21]. Normalmente habla mucho con las chicas. Es un joven muy guapo y siempre hay chicas cerca de él. Pero a él solo le gusta Blanca.

. . . .

[21] *Nervioso/a:* lo contrario de tranquilo.

Para Blanca, Lucas es un niño, como su hermano Luis, porque ella tiene veintidós años, dos más que ellos. Blanca estudia Medicina y está en el último año.

—¡Ho… hola, Blanca! ¿Qué… qué… qué tal estás? —dice Lucas.

—¿Qué te pasa? —pregunta Blanca.

—Na… na… nada, yo…

Pero Blanca no espera la respuesta, y se va.

—Ahí está mi facultad, ¡hasta luego, chicos!

Lucas camina hacia la Facultad de Biología con Luis, y sonríe como un tonto.

—Pero a ti, ¿qué te pasa con mi hermana? —pregunta Luis.

—Estoy enamorado —dice Lucas.

—¡¿De mi hermana?! ¿Qué dices? Es tonta. Como todas las hermanas.

—Es verdad. Todas las hermanas son tontas menos tu hermana, Luis.

Luis ve a una compañera, Paula, que es muy simpática y le gusta mucho.

—¡Hola, Paula!

—¡Hola! —dice Paula, mirando a Lucas con una gran sonrisa.

A Luis no le gusta cómo mira Paula a Lucas y tiene una idea.

—A mi hermana también le gustas.

—¡¿Sí?!

—Este fin de semana nos vamos a Valencia, al apartamento de la playa.

—¿Con tus padres?

—No, mis padres no vienen. Pero Blanca y yo queremos ir a la playa. Y todo el tiempo me pregunta: ¿Por qué no viene Lucas?

—¡¿Qué dices?! —grita Lucas.

—¿Quieres venir con nosotros? Salimos el viernes por la noche y volvemos el domingo.

—¡Sí, claro! ¡Sí! ¡Sí! ¡Sí! —grita Lucas.

Lucas está muy contento. De repente[22], piensa en el cumpleaños de la abuela.

—No. No puedo ir. Es el cumpleaños de mi abuela y nos vamos toda la familia a Chinchón.

—¿A Chinchón? ¿Al cumpleaños de tu abuela? —Luis se ríe.

—Sí. Es su noventa cumpleaños —Lucas está un poco triste.

—Pero, Lucas, puedes ver a tu abuela otro día.

Los dos amigos llegan a la clase. El profesor entra detrás de ellos, y se callan[23]. Lucas se sienta, pero no oye nada de lo que dice el profesor, porque piensa en Blanca y en el fin de semana con ella en la playa.

. . . .

[22] *De repente:* en ese momento.
[23] *Callarse:* no hablar.

4

PLANES DE FIN DE SEMANA

MARTES — 19.30 HORAS

Marina estudia en su habitación. Tiene que hacer un trabajo de literatura, pero piensa todo el tiempo en el cumpleaños de su abuela y en el estreno de la película con su actor favorito. No sabe qué hacer. Por un lado, sabe que es una gran oportunidad para conocer a su actor favorito, pero, por otro, no quiere ser egoísta, quiere mucho a su abuela y sabe que la abuela quiere verla en su fiesta de cumpleaños. Y si no va, su abuela va a estar muy triste.

Carmen y Paco entran juntos en casa con bolsas del supermercado. Van a la cocina y sacan las cosas de las bolsas para ponerlas en los armarios y en el frigorífico.

—¿Marina? ¿Estás en casa? —pregunta Carmen desde la cocina.

—¡Sí, mamá! —contesta Marina.

—¿Puedes ayudarnos[24] con la compra, hija? —dice Paco.

Marina entra en la cocina y ayuda a sus padres. Carmen y Paco no le preguntan qué va a hacer el sábado, pero miran muy serios a Marina. Nadie habla. Al final, Marina dice:

—Este sábado..., voy con vosotros al cumpleaños de la abuela.

—¡Muy bien, hija! —dice Paco.

—Eres una buena chica. Y la abuela va a estar muy contenta —dice Carmen.

Lucas llega a casa, va hasta su habitación y deja su mochila y su cazadora[25] encima de la cama. Entra en la cocina muy nervioso.

—Hola, Lucas. ¡Tenemos una buena noticia! Tu hermana viene con nosotros a Chinchón el sábado —dice Paco.

—¡Vamos los cuatro al cumpleaños de la abuela! —dice Carmen contenta.

Pero Lucas está serio y no dice nada.

—¿Qué te pasa? —pregunta Carmen.

Lucas los mira muy nervioso.

—Yo no puedo ir al cumpleaños de la abuela.

—¿Por qué? —pregunta Paco.

—Porque...

—Hijo, ¿qué pasa? ¿Tienes un problema? —pregunta Carmen.

—Es que... Luis y su hermana Blanca me invitan a ir a Valencia con ellos el fin de semana. Tienen un apartamento y... nos vamos a la playa.

. . . .

[24] *Ayudar:* colaborar.
[25] *Cazadora:* chaqueta corta.

—¿No vienes al cumpleaños de tu abuela porque te vas a la playa? —grita Paco enfadado.

—No te entiendo —dice Carmen muy seria.

—¿Y tú dices que yo soy egoísta? —Marina lo mira a los ojos—. El egoísta eres tú.

—Es que para mí es muy importante porque… —dice Lucas.

—¿Es más importante la playa que tu abuela? —pregunta Paco.

—¡No! Yo quiero mucho a la abuela pero es que… estoy muy enamorado de Blanca, la hermana de Luis. Y nunca la veo —dice Lucas nervioso con la cara muy roja.

—Puedes verla otro día —dice Carmen muy seria—. Tienes toda la vida para verla.

—Mamá, es mi oportunidad para estar con ella, para hablar con ella. Es el amor de mi vida. No, mamá, no puede ser otro día —dice triste.

—Yo también quiero ir al estreno el sábado. Pero no voy por la abuela —dice Marina.

—¡No es lo mismo! Yo estoy enamorado de una persona, ¡tú estás enamorada de un actor! ¡Yo hablo de amor, no de fantasías! —grita Lucas.

Paco está muy serio y enfadado, pero habla con tranquilidad.

—¿No quieres venir? Pues vamos nosotros tres.

—¡Ah, no! Si Lucas no va al cumpleaños, yo tampoco voy a Chinchón —dice Marina.

—Pero ¿vosotros sois tontos? —dice Carmen muy enfadada.

—¿Por qué él puede ir a la playa y yo no puedo ir al estreno de la película? Si Lucas no va a la fiesta de la abuela, yo tampoco voy —dice Marina.

—Sois unos egoístas —dice Paco, muy triste.

—Vamos a preparar la cena y más tarde hablamos de todo esto —dice Carmen.

—Yo no tengo hambre. Y no quiero hablar más de esto.

Paco sale de la cocina muy enfadado. Carmen va detrás de él. Lucas y Marina se miran.

—Tengo una idea —dice Lucas.

Marina escucha a Lucas, y cree que su idea es muy buena. Los dos sonríen.

5

LOS REGALOS DE LA ABUELA

MIÉRCOLES — 21.00 HORAS

Los Fernández cenan en casa. A mediodía todos comen fuera: Carmen y Paco, en un restaurante cerca de sus trabajos, con sus colegas; Marina, en el comedor del instituto, y Lucas, en la cafetería de la facultad. A la hora de cenar, todos comen alrededor de la mesa en el salón-comedor y hablan mucho. Pero hoy hay un gran silencio. Nadie dice nada. Carmen y Paco están enfadados con sus hijos. Marina y Lucas se miran sin decir nada.

Después de cenar, normalmente, se sientan juntos en el salón a ver la tele o a leer. Pero, esta noche, Lucas y Marina quieren decirles algo a sus padres.

—Mamá, papá… Lucas y yo tenemos algo para la abuela —dice Marina.

Los dos hermanos van a por unas bolsas.

—¿Qué es eso? —pregunta Carmen.

—Son nuestros regalos para la abuela —dice Lucas contento.

Marina saca de una bolsa una bata[26].

—¡Una bata de estar por casa! ¿Os gusta? Es ideal para la abuela.

—Además, la bata que tiene está muy vieja —dice Lucas.

—¡Y unas zapatillas de estar por casa! —Marina saca las zapatillas de una bolsa.

Paco observa la bata y las zapatillas. No le gustan.

—¿Qué pensáis? ¿Que la abuela está en casa todo el día? —dice enfadado.

—Bueno, a su edad no sale mucho a la calle —contesta Marina.

Lucas saca una caja de otra bolsa.

—¡Y un juego para la memoria! —dice Lucas, contento.

—Es muy bueno practicar con este juego para no perder la memoria[27] —Marina sonríe contenta.

—Es un regalo muy original —dice Lucas.

—¡Y muy divertido! —dice Marina.

Carmen no dice nada, pero no le gustan los regalos. Paco se levanta y mira a sus hijos muy enfadado.

—¡No es nada divertido! Y la abuela tiene muy buena memoria, siempre se acuerda de todo.

—De todo no, papá —dice Lucas.

—La abuela cuenta historias de hace muchos años. Y sus historias SÍ son divertidas. Vuestros regalos, no —dice Carmen.

—¿Ah, no? Y vosotros, ¿qué le vais a regalar? —le pregunta Lucas.

. . . .

[26] *Bata:* prenda de vestir que se utiliza para estar en casa. También la utilizan, por ejemplo, los médicos.

[27] *Perder la memoria:* no recordar las cosas.

—Nosotros VAMOS a su fiesta de cumpleaños. Y ese es el mejor regalo que podemos hacerle —dice Carmen—. Yo voy a hacer una tarta[28] de cumpleaños de nata y chocolate.

—Y yo voy a hacer un dibujo de toda la familia con la abuela en el centro.

—¡Es una gran idea, papá! —dice Marina.

—Y tú eres un gran dibujante —dice Lucas.

Pero Paco los mira enfadado y dice:

—Si no venís a la fiesta, ¿cómo vais a dar a la abuela vuestros regalos?

Lucas y Marina se miran y sonríen. Lucas tiene un papel de color rosa muy bonito en la mano. Marina le da un bolígrafo.

—Vamos a escribir una carta de felicitación para la abuela. Le vamos a decir que tenemos exámenes y que no podemos ir —dice Marina.

—Y mañana vamos a enviar la carta con los regalos por correo urgente —dice Lucas.

Lucas y Marina están muy contentos con su idea. Carmen y Paco están serios.

—Vosotros dos siempre estáis enfadados el uno con el otro. Pero, ahora, os hacéis buenos amigos para mentir[29] a la abuela. ¡Qué triste!

Paco pone la tele y se sienta en el sofá muy serio. Carmen se sienta a su lado y le coge la mano.

—Ellos no nos entienden porque no son jóvenes —le dice Lucas a su hermana.

—Pero tú y yo sí somos jóvenes —dice Marina.

. . . .

[28] *Tarta:* pastel.
[29] *Mentir:* no decir la verdad.

6

EL SECRETO DE LA ABUELA

JUEVES – 21.00 HORAS

Las noticias[30] de la tele siempre son malas. Pero Carmen y Paco ponen la tele a las nueve de la noche para saber qué pasa en el mundo. A veces, Lucas y Marina ven las noticias con sus padres. Pero hoy, Paco no está en el salón delante de la tele. Lucas y Marina ven las noticias con Carmen.

—¿Y papá? —pregunta Marina—. ¿No quiere ver las noticias?

—Está en su habitación —contesta Carmen.

—Está enfadado con nosotros y no quiere vernos —dice Lucas, muy triste.

—Tiene que hacer el dibujo para la abuela. Por eso no ve las noticias —dice muy seria Carmen.

—¡Ah, es por eso! —contesta Lucas con una sonrisa.

· ·

[30] *Noticia:* información de actualidad en algunos programas de televisión, radio o en los periódicos.

Lucas mira la tele, pero no oye las noticias, porque piensa en Blanca. Piensa en todo lo que va a decirle en la playa. Sonríe feliz porque van a estar juntos.

En el sillón, Marina piensa en su actor. El sábado va a estar muy cerca de él. Piensa en lo que va a decirle y sonríe contenta.

—¿Qué os pasa? —dice Carmen—. Todas las noticias son malas, y vosotros sonreís.

—Yo no sonrío —dice Marina.

—Yo tampoco —dice Lucas.

—¡Ay, cómo es la juventud! —dice Carmen, sonriendo a sus hijos.

Carmen va hasta su dormitorio y llama a la puerta. Entra.

—Paco, ¿estás bien?

—Sí —dice Paco—. Entre hoy y mañana por la noche acabo el dibujo.

—¿Por qué no llamamos a tu madre por teléfono? Y le contamos que Lucas y Marina no vienen el sábado —dice Carmen.

—Sí, tenemos que decírselo.

Carmen se sienta en la cama y mira a su marido. Paco llama por teléfono y camina nervioso de un lado a otro de la habitación. Una voz alegre responde:

—¡Paco! ¡Hijo mío! ¡Qué alegría! Este fin de semana lo vamos a pasar fenomenal[31].

—Mamá… Marina y Lucas no pueden ir a tu cumpleaños, pero vamos Carmen y yo.

—¡¿No vienen?! Pero ¿por qué? —pregunta la abuela con voz triste.

—Es que tienen exámenes…

. . . .

31 *Fenomenal:* muy bien.

Paco no puede hablar y Carmen coge el teléfono.

—Hola, abuela. Soy Carmen. ¡Este sábado vamos a tu fiesta! —dice contenta—. No, ellos no pueden venir…

Paco se siente mal. No le gusta mentir a su madre. Coge el teléfono otra vez.

—Mamá, Lucas y Marina no tienen exámenes.

Y Paco le cuenta todo a su madre: el estreno de cine de Marina y el viaje a la playa de Lucas. La abuela escucha en silencio y piensa. Al final, le dice a su hijo:

—Yo soy muy vieja. Y no sé cuánto tiempo más voy a vivir… Voy a contarte algo. Pero es un secreto.

—¿Un secreto? —dice Paco muy preocupado.

Paco y Carmen se miran. Carmen está nerviosa porque no sabe qué dice la abuela.

—Pero no puedes contárselo a Lucas y Marina —dice la abuela.

—¿Y a Carmen? ¿Puedo contárselo? —pregunta Paco.

—Sí, a Carmen, sí.

Y Paco escucha el secreto de la abuela.

7

LA ABUELA LLAMA PARA AGRADECER LOS REGALOS

Paco come una tostada con mantequilla y mermelada y bebe un zumo de naranja sentado en la cocina. Mira el reloj, se levanta rápidamente y se pone la chaqueta. Carmen entra en la cocina.

—¿Te vas a la oficina?

—Sí. Hoy tenemos mucho trabajo. Los viernes son terribles.

—Pero mañana es sábado —dice contenta.

—Sí, mañana es sábado. Y tú y yo nos vamos a Chinchón.

Carmen y Paco sonríen y se dan un beso.

—Hasta luego, cariño.

Paco se va y Lucas entra en la cocina, en pijama.

—Buenos días, mamá. ¡Qué bien! Hoy es viernes.

—Esta noche vas a ver el mar —dice Carmen con una sonrisa.

—¿Tú no estás enfadada conmigo?

—Tu padre tampoco está enfadado contigo. Pero la abuela es su madre… y la quiere mucho.

—Yo también la quiero mucho. Pero esto es una cuestión de vida o muerte[32], mamá.

Carmen se ríe. A Lucas le gusta mucho ver reír a su madre. Su padre está muy enamorado de ella. Sus padres saben qué es el amor y tienen que entender lo que él siente por Blanca.

Marina entra en la cocina.

—¡Buenos días!

—Buenos días —dice Lucas.

—¿Queréis un café con leche? —pregunta Carmen.

Carmen sirve tres tazas de café con leche y se sienta a desayunar. Lucas pone tostadas para los tres en un plato, y Marina hace zumo de naranja. Suena el teléfono. Responde Carmen.

—¿Sí? —pregunta Carmen—. ¡Hola! Sí, sí, están aquí.

Lucas y Marina miran a Carmen y con los ojos le preguntan quién es.

—Es vuestra abuela —dice Carmen.

Lucas y Marina se miran nerviosos. Tienen que hablar con la abuela…

—Sí, mañana nos vemos —Carmen mira a sus hijos—. La abuela quiere hablar con vosotros.

Pero ni Marina ni Lucas cogen el teléfono. Carmen espera con el teléfono en la mano. Al final, se lo da a Lucas y se sienta a desayunar. Se prepara una tostada y escucha a su hijo.

—¡Hola, abuela! —dice Lucas nervioso—. Yo también quiero verte, pero… tengo exámenes y tengo que estudiar mucho.

Marina espera nerviosa porque sabe que, después de Lucas, ella tiene que hablar con su abuela.

· ·

[32] *Una cuestión de vida o muerte:* una cuestión muy importante.

—¿Sí? ¿Te gustan los regalos? —Lucas mira a Marina contento—. Gracias, abuela. Un beso muy grande. Marina, la abuela quiere hablar contigo.

Marina coge el teléfono nerviosa, pero sonríe y habla.

—¡Hola, abuela! ¿Qué tal estás? —Marina escucha a su abuela—. Sí, yo también tengo exámenes.

Marina mira a Carmen con ojos tristes.

—¿Las zapatillas son cómodas? ¡Y la bata muy agradable...! ¡Y el juego de memoria te encanta! ¡Qué bien! —Marina está contenta porque a su abuela le gustan mucho los regalos.

Lucas no puede comer. Se siente mal por mentir a su abuela.

—Yo también te quiero mucho, abuela. ¡Un beso muy grande! Y, ¡feliz cumpleaños!

Marina deja el teléfono en la mesa y se sienta. Está muy triste. Carmen termina de desayunar y se levanta.

—¿Está enfadada con vosotros por no ir a su cumpleaños? —pregunta Carmen.

—No. Dice que lo entiende, que no pasa nada. Y que somos muy buenos chicos porque somos buenos estudiantes.

—Entonces, no hay ningún problema. Me voy a trabajar. ¡Hasta luego, chicos!

Carmen se va. Lucas y Marina se miran.

—Dice que le gustan mucho los regalos —comenta Lucas.

—Sí, dice que son unos regalos maravillosos[33].

—No tengo hambre, me voy a la facultad.

—Yo tampoco tengo hambre.

Y los dos hermanos salen de casa muy tristes, sin desayunar. No les gusta mentir a su abuela.

· ·

33 *Maravilloso/a:* muy bueno.

8

MALAS NOTICIAS

VIERNES — 23.00 HORAS

Marina se mira en el espejo de su habitación. Lleva un vestido de fiesta de color rojo y unos zapatos de tacón[34]. Sonríe y camina delante del espejo, como una actriz delante de las cámaras. Lucas entra en la habitación.

—¡Qué guapa estás!

—¿Te gusta?

—Sí, estás muy elegante.

—Pero no sé andar con estos zapatos de tacón. Tengo que practicar para mañana, para el estreno de la película. Dicen que Penélope Cruz también va.

—Con esa ropa, nadie va a mirar a Penélope, hermanita. Todos te van a mirar a ti.

—¿Tú crees? —contesta Marina muy contenta.

....

[34] *Zapatos de tacón:* zapatos altos.

Lucas lleva dos bañadores, uno en cada mano. Le pregunta a Marina:

—¿Qué bañador te gusta más? ¿El de surf o el de natación?

Marina mira los bañadores.

—Me gusta más el de surf. Es más moderno. Y más informal.

—Pero es más ancho.

—Tú eres muy guapo y tienes cuerpo de deportista. A Blanca le vas a gustar con los dos bañadores.

Marina sabe que su hermano gusta a todas las chicas. Lucas se pone el bañador de surf encima de los pantalones vaqueros y se mira en el espejo, al lado de Marina: ella tan elegante, y él…, no. Se ríen.

Paco oye las risas y entra en la habitación de Marina. Está contento.

—Esto es increíble: los dos hermanos se ríen juntos como buenos amigos.

—Papá, ¿no estás enfadado con nosotros? —pregunta Marina.

—Claro que no, hijos. Sois jóvenes y queréis divertiros. Lo entiendo.

Suena el teléfono en el salón. Lucas corre a cogerlo. Cree que es Luis.

—¿Sí? —Lucas oye una voz familiar— ¡Tía Aurora!

La tía Aurora es la hermana pequeña de la abuela. Pequeña, pero… tiene ochenta años. Es una mujer muy simpática y vive con la abuela en Chinchón. Está soltera y no tiene hijos. Para ella, los hijos de Paco son como sus nietos. Ella cuida de la abuela y hace casi todas las cosas de la casa: hace la compra, cocina, limpia. Y, además, toca la flauta.

—¡Papá! Es la tía Aurora, quiere hablar contigo —dice Lucas.

Paco coge el teléfono y se sienta en el sillón.

—Hola, tía, ¡qué alegría! ¿Cómo estás? ¡¿Qué?! ¿Un ataque al corazón[35]?

Marina entra en ese momento. Ella y Lucas van al lado de su padre. Paco está muy serio.

—Gracias, tía. ¡Es horrible! —dice casi sin voz.

—Papá, ¿qué pasa? —pregunta Marina muy preocupada—. ¿La abuela está mal?

—La abuela… —Paco no puede hablar—. Está… muerta.

—¡No! —grita Lucas.

Carmen oye el grito de Lucas y corre hasta el salón.

—¿Qué pasa?

—Ahora es muy tarde, pero mañana nos vamos todos a Chinchón muy temprano —dice Paco.

—¿Vamos todos al cumpleaños? —pregunta Carmen contenta.

—No, no vamos al cumpleaños. Vamos al funeral[36] de la abuela.

. . . .

35 *Ataque de corazón:* bloqueo de oxígeno en la sangre que llega al corazón y que puede provocar la muerte.

36 *Funeral:* ceremonia que hacen los familiares y amigos para una persona muerta.

9

EL FUNERAL DE LA ABUELA

SÁBADO – 8.30 HORAS

Chinchón es un pueblo histórico y artístico que está a cuarenta y cinco kilómetros de Madrid. Los fines de semana hay muchos turistas que van a visitar la plaza Mayor y a comer en los restaurantes típicos. Hoy hace sol y la gente camina alegre por sus bonitas calles. Pero para la familia Fernández hoy es un día muy triste, y llegan a casa de la abuela con lágrimas[37] en los ojos.

La tía Aurora abre la puerta, vestida de negro, y los besa. Llora con Marina y Lucas.

En el salón, los amigos, familiares y vecinos están reunidos alrededor del ataúd[38]. Todos visten de negro. Los músicos tocan una música muy triste. La tía Aurora coge su flauta y toca con ellos.

---

[37] *Lágrima:* cuando lloramos, de nuestros ojos salen lágrimas.
[38] *Ataúd:* caja donde se pone el cuerpo del muerto.

Paco se acerca al ataúd y mira a su madre. La abuela tiene la cara muy blanca y los labios un poco azules.

Carmen, muy triste, mira a la abuela dentro del ataúd. Después, va al lado de su marido y le coge la mano.

Lucas y Marina van hasta el ataúd para ver a la abuela y lloran.

Lucas quiere hablar con su abuela. Ella ya no puede oírlo, pero él necesita pedirle perdón[39]. Se acerca hasta la oreja de la abuela y dice, en voz baja:

—Abuela, yo... Te quiero mucho. Soy un egoísta. Y un mentiroso, porque no tengo exámenes. ¡Quiero pedirte perdón!

De repente, la abuela se levanta del ataúd y besa a Lucas:

—¡Te perdono! —dice muy contenta.

La música para. Todos gritan al mismo tiempo: familiares, amigos, vecinos, músicos... Pero, el que más grita es Lucas, que corre hasta la puerta de la habitación. Marina no puede moverse: está muerta de miedo[40]. Quiere correr y salir de Chinchón. Quiere correr hasta Madrid y no mirar atrás. Pero sus piernas no se mueven. La abuela la mira y sonríe. Y ella piensa: «¡Dios mío! ¡Ahora me va a besar a mí!». La abuela, sentada en el ataúd, la besa, y Marina cae al suelo como un saco de patatas: ¡Ploff!

Pero entonces, en medio del silencio, se oyen unas risas muy grandes. La abuela ve a Paco y Carmen, que ríen divertidos, y empieza a reír también. Todos empiezan a reír: amigos, vecinos, familiares, músicos. Todos, menos Lucas y Marina, que está en el suelo. Paco va hasta la abuela y la besa.

. . . .

[39] *Pedir perdón:* disculparse, decir a alguien que lo sentimos mucho.
[40] *Estar muerto/a de miedo:* tener pánico, terror.

—¡Feliz cumpleaños, mamá! ¡Qué divertida eres! —dice Paco.

—Y tú eres muy buen actor. Bueno, todos sois muy buenos actores. Gracias por ayudarme con esta pequeña broma[41].

—¡Es una broma genial! —dice Carmen.

Los músicos empiezan a tocar una canción muy alegre, «Paquito el Chocolatero[42]». Es la canción favorita de la abuela y quiere bailar. Paco y Carmen ayudan a la abuela a salir del ataúd. Se cogen todos de las manos y empiezan a bailar muy contentos.

Lucas está muy serio. No entiende nada. Marina, en el suelo, abre los ojos, por fin, y se levanta.

—¿Pero esto qué es? ¿Un sueño[43]? —dice Marina.

—No —dice él muy serio—. Es una broma de la abuela.

. . . .

41 *Broma:* un juego que no es serio, que no es verdad.
42 *Paquito el Chocolatero:* composición musical muy conocida en España que la gente baila en las fiestas populares.
43 *Sueño:* cuando dormimos, tenemos sueños.

10

LA ABUELA LES DA UNA LECCIÓN

SÁBADO — 11.00 HORAS

La abuela se quita el maquillaje[44] en su habitación con la ayuda de Carmen y Paco. Se ríen tanto que les duele todo el cuerpo. Carmen le quita el color blanco de la cara y el color azul de los labios. Luego, la abuela se lava la cara.

—Es la fiesta sorpresa más divertida de toda mi vida —dice Paco.

—También es la fiesta sorpresa más divertida de toooooda mi vida —dice la abuela.

—La tía Aurora es muy buena actriz, sabe llorar —dice Carmen.

—Tiene un truco: cortar una cebolla —comenta la abuela.

—¡Qué bueno! —Paco sonríe divertido—. Pienso en el momento en que Lucas te dice «Te pido perdón» y tú...

. . . .

44 *Maquillaje:* pintura para la cara y el cuerpo.

Y empiezan los tres a reír otra vez. Y también a llorar, pero de la risa. La abuela casi no puede hablar.

—Y cuando yo me levanto y digo: «Te perdono»...

De repente, oyen una voz muy seria detrás de ellos.

—¿Creéis que es divertido?

Marina y Lucas están muy enfadados.

—¡No tenéis corazón[45]! ¿Por qué nos hacéis esto?

—Porque tengo noventa años y no sé si voy a vivir un año, un mes, una semana o un día más. Pero, para vosotros, es más importante ir al cine o a la playa.

—La abuela quiere divertirse un poco. Es su cumpleaños, ¿no? —dice Carmen.

—La abuela tiene una forma de divertirse muy especial —contesta Marina enfadada.

—Me puedo morir en cualquier momento, ¿sabéis? Y no va a ser una broma. Nunca venís a verme.

—Abuela, sí que venimos —dice Lucas muy triste.

—Eso no es verdad —dice la abuela—. ¿Por qué estáis aquí ahora? ¿Os lo digo? ¡Porque estoy muerta!

Lucas y Marina callan, porque entienden muy bien la lección de la abuela. Paco los mira y dice con una sonrisa:

—Lo importante ahora es... ¡que la abuela no está muerta!

---

45 *No tener corazón:* ser una mala persona.

11

LA FIESTA Y LOS REGALOS

La abuela y la tía Aurora llevan a los invitados hasta una gran mesa donde hay comida y bebida para todos. La tía Aurora es una gran cocinera. Hay sopa, ensalada de verduras y cordero[46] asado. Todos tienen hambre y nadie habla. Solo dicen, con la boca cerrada: «¡Hummm! ¡Hummm!», porque la comida está muy buena.

La tía Aurora ve que Marina y Lucas no comen.

—¿No os gusta? —pregunta preocupada la tía Aurora.

—Sí, tía. Nos gusta mucho —dice Lucas—. Pero no tenemos hambre.

—¡Yo, sí! Y está todo buenísimo —dice Paco, con la boca llena de cordero.

A la abuela y a la tía Aurora les encanta ver comer a Paco.

. . . .

[46] *Cordero:* los platos con carne de cordero son frecuentes en la gastronomía española.

Los invitados levantan las copas de vino y gritan:

—¡Vamos a brindar[47] por la abuela!

—¡Por la abuela!

—Y ahora, ¡los regalos! —dicen los invitados.

Y ponen sobre la mesa, al lado de la abuela, muchas cajas y paquetes. Ella está contenta como una niña y abre los regalos.

—A ver, ¿qué es esto? —dice nerviosa—. ¡Un móvil! ¡Muchas gracias!

Inmediatamente, abre otro paquete. Todos sonríen porque la ven muy feliz.

—¿Y este paquete? —lo abre—. ¡Unas gafas de sol! ¡Qué modernas! Gracias. ¡Dios mío, son muchos regalos! Sois todos maravillosos.

Al final, la mesa está llena de regalos: un bolso, libros, películas, discos, flores, bombones[48], un collar y muchas cosas más. Lucas y Marina piensan en sus regalos.

—Estos regalos son mejores que los nuestros —dice Lucas.

—La bata y las zapatillas de estar por casa son regalos prácticos —dice Marina.

—Pero no son regalos bonitos —dice Lucas.

—No. Papá y mamá tienen razón: son regalos feos y nada divertidos —dice Marina.

La abuela se levanta de la silla y dice en voz alta:

—Y ahora, ¡el regalo de mi hijo!

La abuela coge el dibujo de Paco y lo pone delante de todos.

—¡Esta es mi familia!

. . . .

47 *Brindar:* levantar la copa o un vaso para felicitar o desear algo a alguien.
48 *Bombones:* dulces de chocolate.

—¡Tu hijo es un artista! —dicen los invitados.

Carmen pone la tarta de nata y chocolate en la mesa, y todos cantan el cumpleaños feliz.

—¡Cumpleaños feliz, cumpleaños feliz, te deseamos todos, cumpleaños feliz!

Después de comer la tarta, la abuela se levanta de la silla muy contenta.

—Y ahora, ¡todos a bailar a la plaza Mayor!

Los músicos se levantan, cogen sus instrumentos, y la música suena otra vez. Salen a la calle. Detrás de ellos, la abuela, la tía Aurora, Paco, Carmen, y todos los invitados bailan divertidos.

12

UNA BUENA IDEA

SÁBADO – MEDIODÍA

Lucas y Marina están sentados en el salón de la abuela. Están muy tristes.

—Tenemos que hacer algo —dice Marina.

—¡Tengo una idea! —dice Lucas.

Marina escucha la idea de su hermano: es una gran idea.

Entonces, van hasta la plaza Mayor. Los músicos tocan pasodobles[49], y la gente del pueblo y todos los invitados bailan en medio de la plaza. Unos turistas preguntan:

—¿Son las fiestas de Chinchón?

—No, es el cumpleaños de la abuela —contestan los vecinos.

—Pero podéis bailar con nosotros. ¡Hoy es mi cumpleaños! ¡A bailar! —dice la abuela.

. . . .

[49] *Pasodoble:* música y baile español muy tradicional, se baila en las fiestas populares.

Y los turistas empiezan a bailar con la abuela y toda la gente del pueblo en la plaza.

—¡La gente de Chinchón es muy divertida! —dicen los turistas.

Marina y Lucas caminan lentamente entre la gente que baila y llegan hasta la abuela.

—Abuela, dentro de un rato[50] nos vamos a Madrid —le dicen.

—Pues, adiós —dice la abuela.

—Pero, tú vienes con nosotros.

---

[50] *Rato:* un espacio de tiempo indeterminado, pero no muy largo. Puede ser media hora.

13

UN FIN DE SEMANA GENIAL

SÁBADO POR LA TARDE

Marina y la abuela van de compras por el centro de Madrid. Entran en todas las tiendas, y la abuela mira toda la ropa. Le gusta mucho ir de compras con su nieta.

—¡Este vestido es muy bonito! —la abuela se mira en el espejo de la tienda.

—Estás muy guapa, abuela. ¡Te lo regalo!

—¡¿Me lo regalas?! —dice la abuela, contenta como una niña.

—¡Te lo regalo por tu cumpleaños!

Y la abuela sale feliz de la tienda con un vestido verde de fiesta maravilloso.

—Lucas nos espera en un bar. Nos vamos a comer unas tapas con él.

—¡Me encanta ir de tapas por Madrid! —dice la abuela feliz.

UN FIN DE SEMANA GENIAL

SÁBADO POR LA NOCHE

Paco y Lucas ven la tele en el salón. Oyen risas en el cuarto de baño: las mujeres se maquillan y se peinan. Carmen, Marina y la abuela entran en el salón vestidas de fiesta.

—Estáis guapísimas las tres —dice Paco.

—Abuela, pareces una actriz de cine —dice Lucas.

Y se van las tres: abuela, madre y nieta, al estreno de la película de Javier Bardem y el actor favorito de Marina.

Vuelven a casa muy tarde. Pero los hombres de la casa esperan despiertos para preguntarles por la noche de cine. Y Marina saca una foto de su actor favorito: «Para Marina, una chica maravillosa». Está un poco triste, porque el actor escribe lo mismo en todas las fotos de todas las chicas. Pero Marina sabe que es una fantasía, no es un amor real, y ahora ya no piensa mucho en él. La abuela, muy contenta, saca del bolso una foto de Javier Bardem: «Para la abuela, por su 90 cumpleaños, con mucho cariño».

DOMINGO POR LA MAÑANA

Por la mañana temprano, la familia Fernández se va en coche a Valencia. En la playa de la Malvarrosa, Lucas se baña con Luis, mientras[51] su familia pasea.

—¿Dónde está Blanca? —pregunta Lucas.

—Allí —contesta Luis.

Y Lucas ve a Blanca con un chico. Pasean cogidos de la mano por la playa. Lucas la mira muy triste. Y piensa que Blanca no es actriz, pero también es una fantasía. Ella está enamorada de

. . . .

[51] *Mientras:* al mismo tiempo.

otro. Él siente una gran tristeza. Tiene que olvidar[52] a Blanca y pensar en otras chicas.

Lucas sale del agua, dice adiós a Luis y va con su familia a comer a un restaurante en la playa. Allí, en una mesa, les espera una paella.

—¡Paella! Mi comida favorita —dice la abuela.

—Y desde aquí, por la ventana, puedes ver el mar —dice Lucas, un poco triste.

La abuela le da dos besos a Lucas y sonríe.

—Eres un buen chico. ¡Y muy guapo!

DOMINGO POR LA TARDE

Después de comer la paella y tomar café, la familia Fernández vuelve inmediatamente a Madrid. El partido de fútbol entre el Real Madrid y el Barcelona empieza a las ocho de la tarde.

La abuela se pone una camiseta del Barça[53], regalo de Lucas. También le regala su entrada para el partido.

—¡Hala, Madrid! ¡Hala, Madrid! —Paco canta la canción del Real Madrid.

—¡Barça! ¡Barça! ¡¡¡Barça!!! —canta la abuela.

Paco es del Real Madrid y la abuela es del Barça, pero se van los dos muy contentos al estadio de fútbol para ver juntos el partido.

. . . .

52 *Olvidar:* no recordar.
53 *Barça:* Club de Fútbol Barcelona.

14

FIN DE FIESTA

DOMINGO POR LA NOCHE

La familia Fernández vuelve en coche a Chinchón. Llegan al pueblo de noche. La tía Aurora espera en la puerta de la casa.

—¡Qué fin de semana, Aurora! —le dice la abuela a su hermana, con una gran sonrisa.

—Tienes que contármelo todo —dice la tía Aurora.

—Mañana, porque hoy estoy muy cansada. Feliz, pero cansada.

—¡Qué fin de semana tan divertido! —dice Marina.

—Muy divertido. Desde el principio hasta el final —dice la abuela.

Marina, Lucas, Carmen y Paco besan a la abuela. Todos tienen lágrimas en los ojos. Paco besa a su madre con mucho cariño.

—Es el mejor cumpleaños de mi vida, hijo. El mejor.

—Abuela, vamos a volver muy pronto —dice Marina.

FIN DE FIESTA

—Porque nosotros te queremos mucho, abuela —dice Lucas.

Los Fernández vuelven a Madrid en silencio. Marina piensa en el actor, y Lucas piensa en Blanca. Y les dicen adiós en sus pensamientos. Y, después, piensan en la abuela. Todos piensan en la abuela. Están un poco tristes porque es muy mayor. Y desean, con todo su corazón[54], volver a Chinchón el próximo año y celebrar el noventa y un cumpleaños de la abuela.

---

[54] *Con todo su corazón:* con mucha fuerza, profundamente.

ACTIVIDADES

1. LA FAMILIA FERNÁNDEZ

1. ¿Qué sabes sobre la familia Fernández?

(1) .... es el marido de (2) ....Viven en el centro de (3) .... Tienen dos hijos. La hija se llama (4) .... y tiene (5) .... años. El hijo se llama (6) .... y tiene (7) .... años.

2. ¿Verdadero o falso?

	V	F
1. Los Fernández viven en la calle de la Bola.	☐	☐
2. Carmen hoy tiene una reunión con unos productores de cine.	☐	☐
3. Lucas estudia Biología en la Universidad Autónoma.	☐	☐
4. Lucas tiene el pelo liso y los ojos azules.	☐	☐
5. Marina y Lucas se llevan muy bien.	☐	☐
6. Marina quiere ser actriz.	☐	☐
7. Paco no va hoy a la oficina.	☐	☐
8. A Lucas y a Marina les gusta mucho el fútbol.	☐	☐

3. ¿Quién?

1. Trabaja en un despacho de abogados: ....
2. Es alto y guapo: ....
3. Tiene el pelo largo y rizado: ....
4. Lleva una chaqueta muy elegante: ....
5. Quiere ir al estreno de la película: ....
6. Hoy no va a la oficina: ....
7. Es dibujante: ....

REFLEXIÓN

Compara tu familia con los Fernández.
1. ¿Cuántos sois? ¿Dónde vivís?
2. ¿A qué hora os levantáis normalmente?

2. LA INVITACIÓN DE LA ABUELA

1. Relaciona la información de las dos columnas.

1. Lucas, después de las clases,	a. va a la piscina.
2. Carmen, cuando sale del trabajo,	b. una invitación para el estreno de la película.
3. Paco, después de trabajar,	c. va a la biblioteca a estudiar.
4. Carmen le da a Marina	d. su hija es muy egoísta.
5. Carmen, para cenar, prepara	e. va al gimnasio.
6. Los Fernández	f. un pescado al horno.
7. El sábado es	g. reciben una carta de la abuela.
8. Paco piensa que	h. el cumpleaños de la abuela.

2. Completa el resumen del capítulo con la información que falta.

Marina llega a casa y no hay nadie. Entra en (1) .... su actor favorito. Se sienta en la cama y habla con el actor. Su hermano llega, (2) .... Marina está muy enfadada con Lucas. Su madre (3) .... con su actor favorito y Marina le da (4) .... Paco llega a casa con (5) .... El sábado tienen que ir a Chinchón porque (6) .... Lucas quiere ir al (7) .... pero, finalmente, decide ir a la fiesta de la abuela. Marina prefiere ir al (8) .... y Paco está (9) ....

a. muy enfadado con ella
b. la oye hablar con el póster y se ríe de ella
c. una carta de la abuela
d. tiene una invitación para la película
e. su habitación y mira los pósteres de
f. partido de fútbol
g. un beso muy grande
h. la abuela celebra su cumpleaños
i. estreno de la película

REFLEXIÓN

1. Imagina que tú estás en la situación de Lucas, ¿qué haces: vas al partido de fútbol o a la fiesta de la abuela?
2. Imagina que tú estás en la situación de Marina, ¿qué haces: vas al estreno de la película de tu actor favorito o a la fiesta de la abuela?

3. CIUDAD UNIVERSITARIA

1. Lee las siguientes informaciones sobre este capítulo. Hay tres que no son verdad. Márcalas con una X.

1. Lucas, para ir a la universidad, va de Ópera a Ciudad Universitaria. ☐

2. Cuando Lucas llega a la universidad, Luis está con su hermana Blanca. ☐

3. Blanca estudia en la Facultad de Biología. ☐

4. Blanca tiene veinte años. ☐

5. Luis piensa que su hermana es tonta. ☐

6. Paula es una compañera de Blanca. ☐

7. Luis invita a Lucas a pasar el fin de semana en su apartamento de la playa. ☐

8. Lucas le dice a Luis que no puede ir porque es el cumpleaños de su abuela. ☐

2. ¿A quién le gusta quién?

1. A las chicas de la facultad les gusta mucho ....

2. Lucas le dice a Luis que está enamorado de ....

3. A Blanca no le gusta ....

4. A Luis le gusta mucho ....

5. A Paula no le gusta ....

REFLEXIÓN

¿Crees que Luis es un buen amigo de Lucas?

4. PLANES DE FIN DE SEMANA

1. Ordena lo que ocurre en este capítulo.

1	2	3	4	5	6	7
b						

a. Carmen y Paco están muy enfadados con sus dos hijos.

b. Marina está en su habitación. Piensa en el cumpleaños de la abuela y en el estreno de la película de su actor favorito.

c. Paco y Carmen llegan a casa con las bolsas del supermercado.

d. Lucas cuenta a sus padres que no va a ir a la fiesta de la abuela porque este fin de semana va a la playa con unos amigos.

e. Marina dice a sus padres que va a ir al cumpleaños.

f. Lucas y Marina tienen una idea.

g. Marina dice que ella tampoco va a ir a la fiesta de la abuela.

2. ¿Verdadero o falso?

		V	F
1.	Marina no puede estudiar porque piensa en su actor favorito y en la abuela.	☐	☐
2.	Carmen y Paco piden ayuda a Lucas con las bolsas del supermercado.	☐	☐
3.	Lucas no quiere a su abuela.	☐	☐
4.	Lucas está enamorado de Blanca.	☐	☐
5.	Paco piensa que sus hijos son egoístas.	☐	☐
6.	Paco y Carmen cenan en la cocina.	☐	☐

REFLEXIÓN

¿Crees que Lucas y Marina son egoístas?

ACTIVIDADES

5. LOS REGALOS DE LA ABUELA

1. ¿Quién come a mediodía en...?

1. Un restaurante cerca de su trabajo: ....
2. El comedor del instituto: ....
3. La cafetería de la facultad: ....

2. Completa las frases con la opción correcta.

1. Marina y Lucas compran a la abuela una bata, un juego de memoria y
   a. unos zapatos.   b. unas zapatillas.   c. un bolso.

2. Esta noche, después de cenar, los Fernández
   a. ven la tele.   b. hablan.   c. leen.

3. A Paco, la bata y las zapatillas:
   a. le gustan   b. no le gustan.   c. le gustan bastante.

4. Paco está
   a. enfadado.   b. contento.   c. triste.

5. Carmen le regala a la abuela
   a. chocolate.   b. un dibujo.   c. un pastel.

6. Marina y Lucas van a
   a. enviar los regalos por correo.
   b. visitar a la abuela.
   c. ver la tele.

REFLEXIÓN

Imagina que es el noventa cumpleaños de tu abuela, ¿qué le regalas?

6. EL SECRETO DE LA ABUELA

1. Lee las siguientes informaciones. Hay tres que no son verdad. Márcalas con una X.

1. Marina y Lucas ven las noticias de la tele con su madre. ☐
2. Esta noche Paco no ve las noticias porque tiene que hacer el dibujo para la abuela. ☐
3. Marina y Lucas ven las noticias y piensan en la fiesta de la abuela. ☐
4. Paco llama por teléfono a la abuela. ☐
5. Paco le dice a la abuela que sus hijos no pueden ir a la fiesta. ☐
6. Carmen le cuenta la verdad a la abuela. ☐
7. La abuela le cuenta un secreto a Paco. ☐
8. Paco no puede contar el secreto de la abuela a Carmen. ☐

2. Relaciona las frases de la izquierda con las de la derecha para reconstruir la conversación telefónica de Paco con la abuela.

1. —¡Hijo mío! ¡Qué alegría! Este fin de semana lo vamos a pasar fenomenal.
2. —Pero ¿por qué?
3. —Mamá, Lucas y Marina no tienen exámenes.
4. —¿Un secreto?
5. —¿Y a Carmen?

a. —Es que tienen exámenes…
b. —Soy muy vieja y no sé cuánto tiempo voy a vivir… Voy a contarte un secreto.
c. —Sí, a Carmen, sí.
d. —Mamá…, Marina y Lucas no pueden ir a tu cumpleaños.
e. —Pero no puedes contárselo a Lucas y Marina.

Paco, primero le dice a la abuela que sus hijos no van a su fiesta porque tienen exámenes, pero después le dice la verdad. ¿Qué crees que es mejor en esta situación: decir la verdad o mentir?

7. LA ABUELA LLAMA PARA AGRADECER LOS REGALOS

1. Relaciona la información de las dos columnas.

1. Paco desayuna	a. ver a su madre reír.
2. Esta mañana Paco y Carmen	b. porque no les gusta mentir.
3. A Lucas le gusta mucho	c. tiene que hablar con su abuela.
4. Marina prepara	d. una tostada.
5. Lucas le dice a su abuela que	e. le gustan mucho los regalos.
6. Marina está nerviosa porque	f. están contentos.
7. La abuela le dice a Marina que	g. un zumo de naranja.
8. Marina y Lucas están tristes	h. mañana tiene un examen.

2. Completa el resumen del capítulo con la información que falta.

El viernes por la mañana Paco desayuna rápido (1) ....
Él y su mujer están contentos porque mañana es sábado y (2)
.... Carmen se sienta a desayunar con sus hijos, pero la
abuela (3) .... Quiere hablar con (4) .... ,
Lucas y Marina mienten a su abuela y le dicen que (5) ....
porque tienen exámenes. La abuela les dice que (6) .... y
que no está enfadada con ellos. Marina y Lucas no (7) ....
porque se sienten mal. No les gusta (8) ....

a. mañana no pueden ir a la fiesta
b. porque tiene que ir a trabajar
c. le gustan mucho los regalos
d. van a ir a Chinchón al cumpleaños de la abuela
e. llama por teléfono
f. tienen hambre
g. mentir a su abuela
h. sus nietos

REFLEXIÓN

Imagina que tú estás en la situación de Lucas y de Marina, ¿te sientes igual que ellos?

8. MALAS NOTICIAS

1. Completa las frases sobre este capítulo.

1. Para el estreno de la película de mañana Marina va a llevar ....

2. Marina no sabe caminar con los zapatos de tacón y tiene que ....

3. Lucas no sabe qué .... llevar a la playa.

4. La tía Aurora es la hermana pequeña de ....

5. La tía Aurora está soltera y no tiene ....

6. La tía Aurora toca un instrumento: ....

7. La tía Aurora llama por teléfono para decirles que la abuela ....

8. Toda la familia va mañana por la mañana muy temprano a Chinchón al ....

ACTIVIDADES

2. **Vamos a resumir el contenido de los primeros ocho capítulos. ¿Cuándo pasan estas cosas?**

1. Lucas y Marina dicen a sus padres que no van a ir a la fiesta de la abuela.
2. Luis invita a Lucas a pasar el fin de semana en la playa con su hermana.
3. Marina está muy contenta porque tiene una invitación para el estreno de una película, pero la abuela los invita a su fiesta de cumpleaños.
4. Paco le dice a su hijo que tiene entradas para ver el partido entre el Real Madrid y el Barça.
5. La abuela dice a sus nietos que le gustan mucho los regalos.
6. La tía Aurora llama para decir que la abuela está muerta.
7. Los padres de Marina y Lucas ven sus regalos para la abuela, pero no les gustan.
8. Paco llama a la abuela por teléfono y le cuenta que sus hijos no van a ir a la fiesta.

a. El lunes por la mañana

b. El lunes por la noche

c. El martes por la mañana

d. El martes por la noche

e. El miércoles

f. El jueves

g. El viernes por la mañana

h. El viernes por la noche

REFLEXIÓN

¿Cómo imaginas el funeral de la abuela?

9. EL FUNERAL DE LA ABUELA

1. **¿Qué sabes sobre Chinchón? Puedes buscar más información en internet.**

2. Completa el resumen del capítulo con la información que falta.

Los Fernández llegan a Chinchón. (1)....................... La tía Aurora abre la puerta, (2)...................... En el salón de la casa está toda la gente del pueblo, todos visten de negro y los músicos (3)......................... Lucas y Marina se acercan al ataúd, (4)...................... Lucas le dice a su abuela que (5).......................... y le pide perdón. De repente, (6)........................... Lucas grita y corre hasta la puerta de la habitación. Marina quiere también correr y (7)........................... La abuela le da un beso y Marina (8)......................... Paco, Carmen y la abuela (9).......................... y entonces los músicos (10).............................. y todos empiezan a bailar. Marina y Lucas (11).....................................

a. vestida de negro, y llora con ellos
b. es un egoísta y un mentiroso
c. Hoy es un día muy triste y van a casa de la abuela con lágrimas en los ojos
d. la abuela se levanta y abraza a Lucas
e. tocan una música muy triste.
f. empiezan a tocar «Paquito el Chocolatero»
g. no entienden nada
h. miran a la abuela y lloran
i. salir de Chinchón
j. empiezan a reír
k. cae al suelo como un saco de patatas

REFLEXIÓN

¿Te gustan las bromas? ¿Qué piensas de la broma de la abuela?

10. LA ABUELA LES DA UNA LECCIÓN

1. Completa las frases con la opción correcta.

1. La abuela se quita el maquillaje con la ayuda de
   a. la tía Aurora. b. Lucas y Marina. c. Paco y Carmen.

2. La tía Aurora tiene un truco para llorar:
   a. cortar una cebolla.
   b. actuar como una actriz.
   c. lavarse la cara.

3. Paco, Carmen y la abuela lloran de risa cuando piensan en
   a. la tía Aurora. b. los músicos. c. Lucas.

4. Marina y Lucas están
   a. muy enfadados. b. muy contentos. c. preocupados.

5. La abuela piensa que para sus nietos ...... es importante.
   a. ella no   b. el fútbol   c. la fiesta

6. Después de escuchar las palabras de la abuela, Lucas
   y Marina
   a. se ríen. b. están tristes. c. enfadados.

2. ¿Qué crees que hacen Lucas y Marina después de hablar con la abuela? Escribe tres ideas como la del ejemplo.

1. Lucas y Marina vuelven a Madrid muy enfadados.
2. ....
3. ....
4. ....

REFLEXIÓN

¿Crees que Lucas y Marina entienden ahora
a la abuela?

11. LA FIESTA Y LOS REGALOS

1. ¿Quién o quiénes?

> la tía Aurora - la abuela - Paco - Carmen - Lucas - Marina - todos - los músicos

1. Llevan a los invitados hasta una gran mesa con comida y bebida: ....
2. Es una gran cocinera: ....
3. No comen nada porque no tienen hambre: ....
4. Come mucho cordero: ....
5. Brindan por la abuela: ....
6. Está contenta como una niña: ....
7. Abre los regalos: ....
8. Muestra el dibujo de Paco a todos: ....
9. Pone la tarta encima de la mesa: ....
10. Cantan el cumpleaños feliz: ....
11. Empiezan a tocar música: ....
12. Bailan divertidos: ....

2. ¿Qué regalos no recibe la abuela en su fiesta? Márcalos.

a. un móvil   b. un reloj   c. bombones

d. unas gafas de sol   e. un collar   f. un sombrero

g. libros   h. un viaje   i. películas

j. una lámpara   k. discos   l. un bolso

ACTIVIDADES

1. ¿Por qué crees que Lucas y Marina no tienen hambre?
2. ¿Qué piensan cuando ven los regalos de los amigos de la abuela?
3. ¿Cuál es el regalo que más le gusta a la abuela?

12. UNA BUENA IDEA

1. Lee las siguientes informaciones. Hay tres que no son verdad. Márcalas con una X.

1. Lucas y Marina quieren hacer algo para alegrar a la abuela. ☐
2. Lucas y Marina compran otro regalo para la abuela. ☐
3. En la plaza Mayor la gente baila pasodobles. ☐
4. Unos turistas piensan que son las fiestas de Chinchón. ☐
5. Los turistas no quieren bailar con la abuela. ☐
6. Los turistas piensan que la gente de Chinchón es muy divertida. ☐
7. Lucas y Marina van a la plaza Mayor para bailar. ☐
8. Lucas y Marina quieren volver a Madrid con la abuela. ☐

¿Cómo son las fiestas populares donde tú vives?

13. UN FIN DE SEMANA GENIAL

1. ¿Cuándo hacen estas cosas?

1. Los Fernández van en coche a Valencia.	a. El sábado por la tarde
2. Marina y la abuela van de compras.	
3. La abuela y Paco van a un partido de fútbol.	
4. Lucas ve a Blanca con un chico.	b. El sábado por la noche
5. Carmen, Marina y la abuela van al estreno de la película.	
6. Javier Bardem regala una foto a la abuela.	c. El domingo por la mañana
7. Marina, Lucas y la abuela van de tapas.	
8. Marina le regala un vestido de fiesta a la abuela.	d. El domingo por la tarde

2. Completa las frases.

1. A la abuela le gusta ir de compras con ....

2. El vestido que Marina le regala a la abuela es de color ....

3. Carmen, Marina y la abuela van al estreno y vuelven a casa muy ....

4. Marina sabe ahora que su actor favorito no es un amor ....

5. Lucas se baña en la playa de Valencia con ....

6. Lucas descubre que Blanca está enamorada de otro y está ....

7. La comida favorita de la abuela es ....

8. La abuela es del Barça y su hijo Paco es del ....

Imagina que puedes acompañar a la abuela
a hacer una cosa este fin de semana, ¿qué haces?

1. Ir de compras.
2. Vestir ropa elegante e ir al estreno de una película.
3. Comer una paella en la playa de la Malvarrosa.
4. Ir a un partido entre el Real Madrid y el Barça.

14. FIN DE FIESTA

1. ¿Verdadero o falso?

		V	F
1.	Los Fernández van en coche de Madrid a Chinchón.	☐	☐
2.	Llegan a Chinchón por la tarde.	☐	☐
3.	La tía Aurora está en la puerta de la casa.	☐	☐
4.	La abuela está muy cansada.	☐	☐
5.	Los Fernández besan a la abuela.	☐	☐
6.	La abuela piensa que es el mejor cumpleaños de su vida.	☐	☐
7.	En el viaje a Madrid Marina no piensa en su actor favorito.	☐	☐
8.	En el viaje de vuelta a Madrid todos piensan en la abuela.	☐	☐
9.	Todos quieren volver a Chinchón el próximo año para celebrar el cumpleaños de la abuela.	☐	☐

REFLEXIÓN

¿Te gusta el final de la historia? ¿Crees que es
bueno leer estas lecturas para aprender español?
¿Por qué?

SOLUCIONES

1. LA FAMILIA FERNÁNDEZ

1. (1) ▸ Paco   (2) ▸ Carmen   (3) ▸ Madrid   (4) ▸ Marina
   (5) ▸ 17   (6) ▸ Lucas   (7) ▸ 20
2. 1. ▸ V   2. ▸ V   3. ▸ F   4. ▸ F   5. ▸ F   6. ▸ V   7. ▸ V   8. ▸ F
3. 1. ▸ Carmen   2. ▸ Lucas   3. ▸ Marina   4. ▸ Carmen
   5. ▸ Marina   6. ▸ Paco   7. ▸ Paco

2. LA INVITACIÓN DE LA ABUELA

1. 1. ▸ c   2. ▸ e   3. ▸ a   4. ▸ b   5. ▸ f   6. ▸ g   7. ▸ h   8. ▸ d
2. 1. ▸ e   2. ▸ b   3. ▸ d   4. ▸ g   5. ▸ c   6. ▸ h   7. ▸ f   8. ▸ i   9. ▸ a

3. CIUDAD UNIVERSITARIA

1. 3, 4 y 6
2. 1. ▸ Lucas   2. ▸ Blanca   3. ▸ Lucas   4. ▸ Paula   5. ▸ Luis

4. PLANES DE FIN DE SEMANA

1. 1. ▸ b   2. ▸ c   3. ▸ e   4. ▸ d   5. ▸ g   6. ▸ a   7. ▸ f
2. 1. ▸ V   2. ▸ F   3. ▸ F   4. ▸ V   5. ▸ V   6. ▸ F

5. LOS REGALOS DE LA ABUELA

1. 1. ▸ Carmen y Paco   2. ▸ Marina   3. ▸ Lucas
2. 1. ▸ b   2. ▸ b   3. ▸ b   4. ▸ a   5. ▸ c   6. ▸ a

6. EL SECRETO DE LA ABUELA

1. 3, 6 y 8
2. 1. ▸ d   2. ▸ a   3. ▸ b   4. ▸ e   5. ▸ c

7. LA ABUELA LLAMA PARA AGRADECER LOS REGALOS

1. 1. ▸ d   2. ▸ f   3. ▸ a   4. ▸ g   5. ▸ h   6. ▸ c   7. ▸ e   8. ▸ b
2. 1. ▸ b   2. ▸ d   3. ▸ e   4. ▸ h   5. ▸ a   6. ▸ c   7. ▸ f   8. ▸ g

8. MALAS NOTICIAS

1. 1. ▸ un pantalón negro, una blusa de fiesta de color rojo y unos zapatos de tacón   2. ▸ practicar para mañana   3. ▸ bañador   4. ▸ la abuela   5. ▸ hijos   6. ▸ la flauta 7. ▸ está muerta   8. ▸ funeral

2. 1. ▸ d   2. ▸ c   3. ▸ b   4. ▸ a   5. ▸ g   6. ▸ h   7. ▸ e   8. ▸ f

9. EL FUNERAL DE LA ABUELA

1. Chinchón es un pueblo histórico y artístico que está a cuarenta y cinco kilómetros de Madrid. Los fines de semana hay muchos turistas que van a visitar la plaza Mayor y a comer en los restaurantes típicos.
   La página web de Chinchón es: www.ciudad-chinchon.com

2. 1. ▸ c   2. ▸ a   3. ▸ e   4. ▸ h   5. ▸ b   6. ▸ d   7. ▸ i   8. ▸ k   9. ▸ j   10. ▸ f   11. ▸ g

10. LA ABUELA LES DA UNA LECCIÓN

1. 1. ▸ c   2. ▸ a   3. ▸ c   4. ▸ a   5. ▸ a   6. ▸ b

11. LA FIESTA Y LOS REGALOS

1. 1. ▸ la abuela y la tía Aurora   2. ▸ la tía Aurora   3. ▸ Lucas y Marina   4. ▸ Paco   5. ▸ todos   6. ▸ la abuela   7. ▸ la abuela   8. ▸ la abuela   9. ▸ Carmen   10. ▸ todos   11. ▸ los músicos   12. ▸ todos

2. b. ▸ un reloj   f. ▸ un sombrero   h. ▸ un viaje   j. ▸ una lámpara

12. UNA BUENA IDEA

1. 2, 5 y 7

13. UN FIN DE SEMANA GENIAL

1. 1. ▸ c   2. ▸ a   3. ▸ d   4. ▸ c   5. ▸ b   6. ▸ b   7. ▸ a   8. ▸ a

2. 1. ▸ su nieta   2. ▸ verde   3. ▸ tarde   4. ▸ real   5. ▸ Luis   6. ▸ muy triste   7. ▸ la paella   8. ▸ Real Madrid

14. FIN DE FIESTA

1. 1. ▸ V   2. ▸ F   3. ▸ V   4. ▸ V   5. ▸ V   6. ▸ V   7. ▸ F   8. ▸ V   9. ▸ V